Mae'r llyfr

DREF WEN

hwn yn perthyn i:

____

____

____

____

Dyma rai llyfrau lliwgar clawr meddal o'r

DREF WEN

ichi eu mwynhau . . .

STORÏAU

Perfformiad Anhygoel Gari Mochyn *Mary Rayner*
Pum Munud o Lonydd *Jill Murphy*
Postman Pat a'r Nadolig Gwyn *John Cunliffe*
Mr Arth yn gwarchod *Debi Gliori*
Oen Bach Rhiannon *Kim Lewis*
Cwningen Fach Ffw *Michael Rosen/Arthur Robins*
Un Nos o Rew ac Eira *Nick Butterworth*
Y Ci Bach Newydd *Laurence a Catherine Anholt*
Fferm Swnllyd *Rod Campbell*
Postman Pat a'r Planhigion *John Cunliffe*
O, Eliffant! *Nicola Smee*
Wyddost ti beth wnaeth Taid? *Brian Smith/Rachel Pank*
Bore Da, Broch Bach *Ron Maris*
Heddwch o'r Diwedd *Jill Murphy*
Pen-blwydd Ianto *Mick Inkpen*
Methu cysgu wyt ti, Arth Bach? *Martin Waddell/Barbara Firth*
Fflos y Ci Defaid *Kim Lewis*
Eira Mawr *Jane Hissey*
Y Lindysyn Llwglyd Iawn *Eric Carle*
Y Dyn Eira *Raymond Briggs*
Twm Chwe Chinio *Inga Moore*

LLYFRAU FFEITHIOL

Dechrau'r Ysgol *Janet ac Allan Ahlberg*
Deinosoriaid *Dinamation*

HEDDLU CWM CADNO

Cyhoeddwyd gyntaf yn Saesneg 1994 gan Macmillan Children's Books,
adran o Macmillan Publishers Cyf,
dan y teitl *The Foxbury Force*.

Cyhoeddwyd yn Gymraeg gan Wasg y Dref Wen,
28 Ffordd yr Eglwys, Yr Eglwys Newydd, Caerdydd CF4 2EA
Ffôn 0222 617860.

Argraffwyd yn Hong Kong.

Graham Oakley

HEDDLU CWM CADNO

DREF WEN

Bob bore am wyth o'r gloch, ar bob tywydd, byddai cwnstabliaid Heddlu Cwm Cadno yn sefyll o flaen swyddfa heddlu Cwm Cadno i

gael eu harolygu gan y Rhingyll Rhoch a'r Arolygwr Chwimchwam.

Ar yr ail ddydd
Iau o bob mis, yn
ystod yr arolygu, byddai
Lladron y Cwm wrthi. Eu
tasg oedd lladrata o un siop bob
mis, ac yna ceisio dianc gyda'r
ysbail, er mwyn i'r cwnstabliaid
gael ymarfer cwrso lladron.

Fel rheol roedd y Lladron yn cael eu dal erbyn amser te. Os na, roedd yn rhaid iddyn nhw ildio beth bynnag, achos doedd Cyngor Cwm Cadno ddim yn hoffi talu am oriau ychwanegol.

Ond roedd un dydd Iau yn wahanol. Roedd Fformon y Lladron, oedd yn dipyn o walch, wedi cael syniad. "Y tro hwn, fe wnawn ni ddwyn o'r siop aur-ac-arian, ac yna dianc o ddifri a chadw'r holl ysbail a bod yn gyfoethog iawn."

Doedd e ddim wedi sôn am hyn wrth y lleill, achos roedd e’n ofni eu bod nhw’n rhy onest. Wrth fynd heibio i swyddfa’r heddlu, cadwodd Lladron y Cwm stŵr anferthol, fel bob amser, er mwyn i’r heddlu gael gwybod bod y lladrad wedi’i wneud, a’i bod yn bryd iddyn nhw ddechrau cwrso. Gwnaeth y Fformon ei orau i dawelu’r Lladron, ond thalodd neb sylw iddo.

Hen foi clên oedd yr Arolygwr Chwimchwam, ac roedd e bob amser yn gadael i Ladron y Cwm gael cychwyn teg. Felly rhifodd yn araf hyd at ddau ddeg pump, fel arfer, cyn gweiddi, “Cwnstabliaid, ar eich marciau…Parod…Ewch!” Yna i ffwrdd â nhw ar ôl y Lladron.

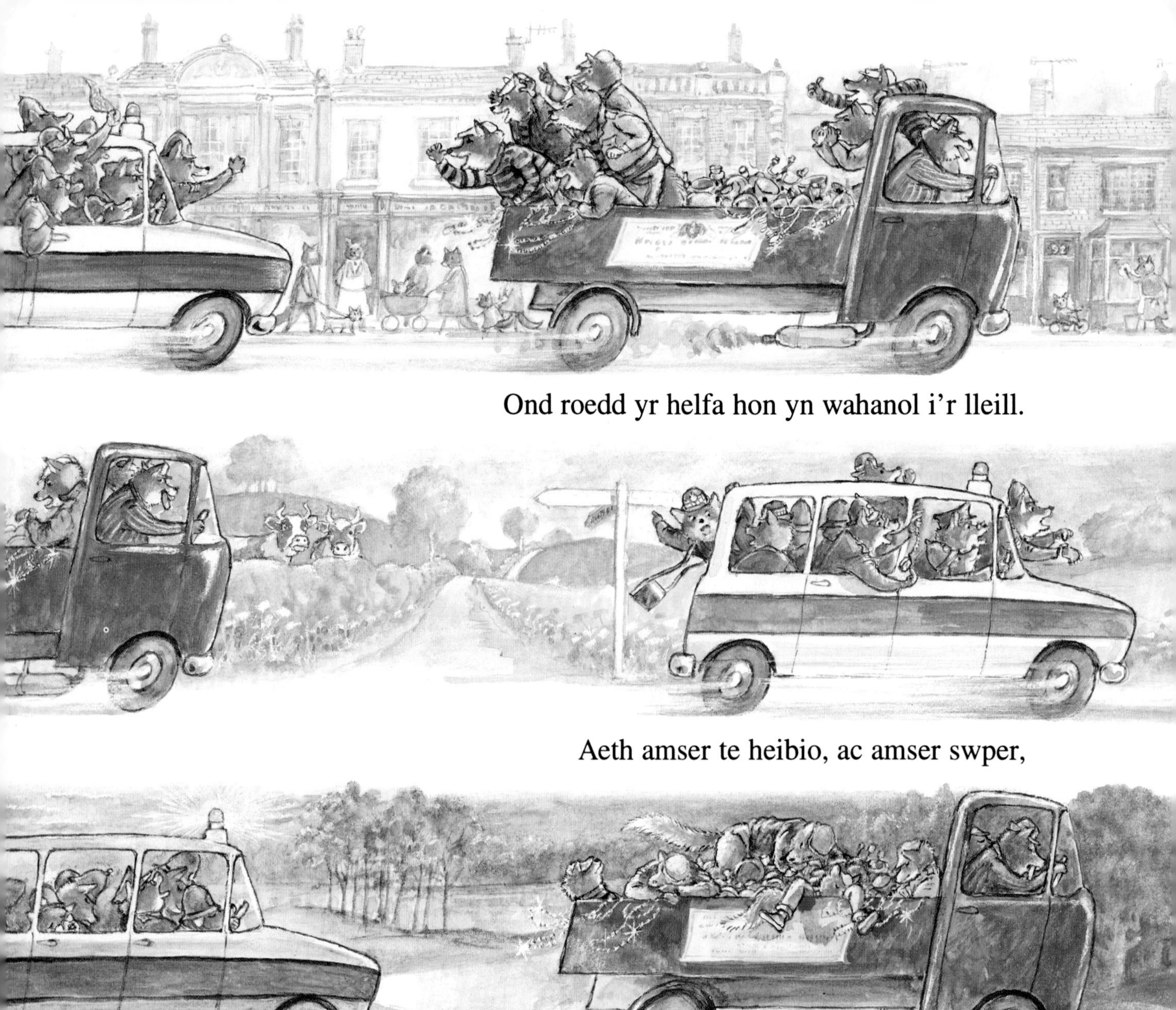

Ond roedd yr helfa hon yn wahanol i’r lleill.

Aeth amser te heibio, ac amser swper,

Gyrrodd ymlaen ac ymlaen nes o’r diwedd…

Chawson nhw ddim aros am goffi nac am ginio chwaith.

ond waeth beth ddywedai'r Lladron, wnâi'r Fformon ddim aros.

…cyrhaeddodd at hen gastell, yn union fel y cynlluniodd.

"Mae dianc yn erbyn y rheolau. Ildiwch ar unwaith!" gwaeddodd yr Arolygwr Chwimchwam ar Fformon y Lladron.

"Wfft i chi, wnawn ni byth ildio!" gwaeddodd Fformon y Lladron ar yr Arolygwr Chwimchwam.

"Mewn sefyllfa fel hon, rhaid bod yn benderfynol," meddai'r Arolygwr Chwimchwam. "Dyma beth wnawn ni. Fe wnawn ni…ym…aaa…wel…fe wnawn ni…"

"Beth am glymu ein dillad ynghyd i wneud rhaff," awgrymodd Cwnstabl Pincws. "Wedyn fe allwn ni ddringo i fyny muriau'r castell."

"…glymu ein dillad ynghyd i wneud rhaff, ac wedyn dringo i fyny muriau'r castell," gorffennodd yr Arolygwr Chwimchwam.

Pan oedd y rhaff yn barod, taflodd Cwnstabl Clobyn, oedd yn hynod o gryf, un pen iddi dros fur y castell.

Yna nofiodd pawb ar draws y ffos a dringo i fyny i'r to.

Islaw, gwelson nhw Ladron y Dref. Roedd yn amlwg bod y Lladron yn mwynhau bod yn lladron go iawn.

"Fe ruthrwn ni'n syth i lawr a'u dal nhw'n annisgwyl," meddai'r Arolygwr Chwimchwam. "Dilynwch fi a chadwch gyda'ch gilydd."

Ond wnaethon nhw ddim rhuthro'n syth i unman, achos doedd dim golau ganddyn nhw, a fedrai'r Arolygwr Chwimchwam ddim gweld yn dda yn y tywyllwch.

Aeth hanner awr heibio cyn iddyn nhw ddod o hyd i ddrws y Neuadd Fawr. Cadwon nhw gymaint o sŵn, clywodd y Lladron nhw'n dod, a chael amser i baratoi amdanyn nhw.

Felly pan dorrodd Heddlu Cwm Cadno i mewn yn annisgwyl,

roedd Lladron Cwm Cadno yn disgwyl amdanyn nhw.

Ond wrth lwc roedd yr arfwisg wedi bod yn sefyll yn yr hen neuadd laith ers canrifoedd, ac roedd wedi rhydu bron yn solet. Ar ôl ei gwisgo, roedd Lladron y Cwm yn methu â symud gam. Roedd hyn wrth fodd calon y cwnstabliaid. Yn lle gorfod ymladd brwydr beryglus, fe ddalion nhw'r Lladron heb ddim trafferth, a'u cadw'n garcharorion dros nos.

Bore trannoeth cafodd Lladron y Cwm eu llwytho ar y lori, tra oedd Cwnstabl Pwt wrthi'n ceisio datod y clymau yn y rhaff ddillad. Ond allai fe ddim. Roedden nhw'n rhy dynn.

"Dim ots," meddai'r Arolygwr Chwimchwam. "Fc awn ni fel ŷn ni. Fydd neb yn poeni." Yna rhoddodd orchymyn i ostwng y bont dros y ffos, ac i lawr daeth y bont â CHRAITSH fyddarol.

Trueni nad oedd neb wedi cofio symud y car heddlu gyntaf. Ond ta waeth, roedd ’na ddigon o le i bawb ar lori’r Lladron.

Roedd ’na allt serth ar y ffordd adre, a dringodd y lori yn araf iawn iawn. Roedd y cwnstabliaid yn chwarae “Dw i’n gweld â’m llygad bach i”, a daeth tro Cwnstabl Annwyl i weld rhywbeth. “Dw i’n gweld â’m llygad bach i…rhywbeth yn dechrau â…ymm…G,” meddai hi.

Dyna ryfedd bod pawb wedi ateb gyda’i gilydd – “Gwylliaid!” Gan mai un o lorïau Cyngor Cwm Cadno oedd hi, doedd y gwylliaid ddim yn disgwyl ennill mwy na hen gaib neu raw, neu rywbeth o’r fath.

Felly pan welson nhw'r llwyth o arian a phethau gwerthfawr, fe gollon nhw eu pennau. Heb aros i feddwl, rhuthron nhw at gefn y lori a gollwng y fflap. Dyna gamgymeriad oedd hwnnw. Ar ôl dal y gwylliaid bob un, aeth y cwnstabliaid i waelod yr allt a gadael y Lladron allan o'u harfwisg. Roedd pennau'r Lladron yn troi'n ddychrynllyd, ond ymhen tipyn roedden nhw'n gallu helpu i roi'r ysbail yn ôl ar y lori. Yna ymlaen â phawb i Gwm Cadno.

Pan gyrhaeddon nhw, roedd y strydoedd yn llawn o bobl, o achos y farchnad. Felly penderfynodd yr Arolygwr Chwimchwam gynnal Gorymdaith Fawreddog i mewn i'r dref, er mwyn dangos i bawb sut heddlu ardderchog oedd ganddyn nhw. Ac am fod Lladron y Cwm wedi talu am eu drygioni, drwy helpu dal y gwylliaid, cawson nhw hefyd ymuno yn yr orymdaith a chael rhan o'r clod.

Doedd dim llawer o glod i'r gwylliaid, fodd bynnag. A dweud y gwir, cawson nhw ddiwrnod diflas iawn. Ond trodd popeth allan yn lled dda iddyn nhw yn y diwedd, achos gwerthon nhw eu hanes i'r papurau newydd, a dod yn enwog a chyfoethog bob un.

Y DIWEDD